마음에도 정리가 필요해

발   행 | 2024년 07월 24일
저   자 | 한상형
펴낸이 | 한건희
펴낸곳 | 주식회사 부크크
출판사등록 | 2014.07.15.(제2014-16호)
주   소 | 서울특별시 금천구 가산디지털1로 119 SK 트
윈타워 A동 305호
전   화 | 1670-8316
이메일 | INFO@BOOKK.CO.KR

ISBN | 979-11-410-9693-9

마음에도 정리가
필요해...

2024. 4 16

PROLOGUE

글을 쓰게 된 영광의 순간

예술에 대한 막연한 동경과 예찬을 가지고 온 나를 돌이켜봅니다.
창작의 경이로움과 그 가치를 알기에 그림을 볼때도 음악을 들을
때도 책을 읽을 때도 시를 읊을 때도 창 소절을 들을 때도 무대 위
경이로운 춤사위를 볼때도 나는 늘 감탄하며 잔잔한 여운에 서스럼
없이 몸과 마음을 내주었습니다.
예술은 아무나 할 수 없는 신선들만의 도력같이 느껴졌습니다.

나는 지금 예술인 흉내라도 낼수 있는 이 순간을 맞이하면서
크나큰 영광의 시간을 만들고 있습니다.

어떠한 훌륭한 글이나 뜻깊은 글사위들을 남길 수는 없지만
나의 삶 또한 나름의 스토리가 있기에 단지 나의 생각과 이야기를
문자로 남겨보는 기회로 삼으려 합니다.

호랑이는 가죽을 남기도 사람은 이름을 남긴다하니
저는 책을 남기고자 합니다.
무엇하나 뛰어난 재능은 가지고 있지 않지만
나름의 고등교육은 받았으니 나를 믿고 그저 나를 기록해 봅니다.

첫 수필집을 쓰면서 나의 켈리그라피 작품들도 함께 수록할수
있어 더욱 뜻깊습니다.

작품 속 한 구절 한 구절마다 나에게 글을 써내려 갈수 있는
실마리를 던져 주니 이 보다 더욱 감사한 일이 없습니다.
시작이 반이라고 이렇게 서두를 쓰면서 나의 첫 에세이를 시작합니
다. 남다르지 않은 나의 일상들에서 나의 생각 한 줌 떼내어
공유해 봅니다. 귀한 시간 저에게 내어주신 독자분들께
진심어린 감사를 전합니다.

ILOVEYOU

마 음 에 도 정 리 가 필 요 해

좋은 생각을 하고
좋은 말을 하고
좋은 사람을 만나는 것
그것이 좋은 인생을 사는
비결이다

THE CONTENT

+0024-3575-1010235

1장.

- 너는 나의 봄
- 엄마가 봄이었어요
- 너의 마음이 안녕하길
- 지금을 마지막처럼 후회없이 살자
- 우리 둘은 어느덧 한폭의 그림이 된다
- 어제 우리가 함께 사랑했던 자리에 오늘 겨울비가 내립니다
- 니앞 지금 그대에게

2024

THE CON TENT

+002-3535-0235

2 장.

- 괜찮아 괜찮아 실패해도 괜찮아

- 나로인해 웃는 사람 덕분에 나도 행복을 배운다

- 까닭없이 마음이 외로울때 애처로운 그리움

- 꽃피는 날들이 좋다면 그대 겨울나무처럼

- 진정한 앎은 침묵에서

- 보고 있을 때도 보고 싶어질 때도

- 오늘이라고 쓰고 행복이라고 읽는다

2024/04/30

1장. 사람과 나

봄은 늘 나에게 속삭인다. 사랑해요. 힘내요.

너는 나의 봄

너는 나의 봄,

너는 나의 햇살

봄이여, 네가 내게 온 것 같아

그 따뜻한 햇살처럼

네 영혼이

나의 속 어딘가에

봄이면 꽃들이 피어나듯

네가 내 속에 피어나네

새로운 희망과 꿈들

우리 함께 시작된거야

봄의 바람타고

자유롭게 날아가는 홀씨처럼

나는 그렇게 봄을 맞이했었지

너는 나의 봄, 나의 희망

그 때도 지금도

그 봄은 늘 나에게 속삭인다

힘내요, 엄마

사랑해요, 엄마

어리숙한 인생의 길을 참으로도 열심히 걸어왔습니다.

무엇이 그 때는 그렇게 힘들고 무엇이 그 때는 그렇게도 진지했던지

세월의 녹을 먹고나면 그때는 왜 그래야 했을까,

그 때는 왜 숙연히 대하지 못했을까 하는 일들이 씁쓸하게 떠오릅니다

그러고 보면 세월은 어떻게든 지나갑니다. 그러다 보면 생겨나는 여유와
그 다음 행보가 늘 기다리고 있었다는 듯 촘촘한 시간들은 이어준 듯 합니다.
지금은 생각해보면 모든 것이 다행이고 감사한 일들입니다.
적어도 지금은 초연히 바라보며 그때는 그랬었지 그때가 좋았지 할수 있으니까요.
생각해 보면 얼키고 설킨 실타래라 더 이상 못풀겠다 싶었던 일도 있었습니다.
맏딸이던 저는 결혼이 그랬던것 같습니다. 효녀도 아니고 말 잘 듣는 착한 자식도
아니였지만 맏이라는 막연한 책임감은 늘 지니고 살았던 것 같습니다.
이번 생에 꼭 결혼을 해야하나 싶었던 차에 6개월이란 짧은 만남으로 참으로
선물같은 인연을 맺게됩니다.
1년동안은 정성들여 결혼 생활을 이어갔습니다.
새벽에 일어나 5첩반상 9첩반상 늘어나는 가지수 만큼 즐거웠던 때입니다.
그리고 1년뒤 대를 이을 아이를 원했던 남편은 아이를 가지기 위한 정신적,
물리적 준비들을 늘어놓으며 여러가지 규율과 규칙으로 나를 올가매기 시작했습니다.
그럴수록 나는 스트레스가 쌓여갔고 그 사이 우리는 진짜 자신들의 모습들을
들어내기시작했지요.
시뻘건 불덩이가 늘 가슴을 짓누르던 답답한 시간들이였습니다.
내 자신이 타서 사라지기 전에 내 안에서 곪아가던 것들을 던져버려야 했습니다.
모든 것에 완벽해지겠다는 욕심, 남들처럼 잘 살아보겠다던 감추어진 결심,
끝까지 아이가 생기지 못했을 때의 또 다른 선택의 기로, 나를 죄책감으로 꽁꽁
묶었던 남편에 대한 원망까지 차례차례 내 던지기 시작했습니다.
특별히 어떠한 계획이 있었던 것은 아니지만 마음의 시선을 나에게 돌리고
온전한 나를 찾기 위해 나찾기 여행을 떠났던 것 같습니다.
내가 행복 할 때는 언제였지 ?
내가 웃고 있을 때는 언제였지?
내가 즐거울 때는 언제였지?
내가 진짜로 원하는 것들이 뭐지?
그러던 중 작은 아기씨가 내 안에 살포시 내려앉았습니다.
그리고 따스한 봄을 맞이합니다.

엄마는 우리 삶에서 가장 빛나는 별이다.

엄마가 봄이 였어요

나의 엄마는 찻잎을 띄우는 것을 좋아했습니다.

그녀는 다관에 찻잎을 띄울 때마다,

그녀는 안정된 표정과 차분한 목소리로 나에게 이야기를 해 주었습니다.

그때마다 나는 그녀의 이야기가

남의 옷을 입은 것처럼 낯설고 불편했지만 애써 귀를 기울이다보면,

그녀의 온화한 존재감이 나를 안심시키곤 했습니다.

엄마는 찻잎을 띄우는 것을 예술과 삶의 예로 여기곤 했습니다.

그녀는 차례로 찻잎을 띄우며, 그것들이 서로 어떻게 춤을 추는지를 주의 깊게

지켜 보곤 했습니다.

그녀는 그들의 우아한 움직임과 아름다운 빛깔에 매료되었고,

그것이 그녀의 마음을 평화롭게 만들어 주었습니다.

나는 그녀가 찻잎을 띄울 때면 그녀의 평온한 모습을 보았고

나의 마음도 함께 평화로워졌습니다.

찻잎을 띄우는 엄마는 또한 나에게 인내와 근면함을 가르쳐 주었습니다.

찻잎을 띄우는 일은 세심함과 집중력을 요구합니다.

그리고 그것에서 인내와 끈기를 배울 수 있습니다.

몇시간을 한복을 곱게차려 입고 정정한 자세로 예를 다합니다.

茶를 다루는 禮. 차를 나누며 말을 건네는 상대방에 대한 예.

차 한 목음 넘기는 일까지도 예를 다함은 끝이 없습니다.

그녀는 찻잎을 띄우는 일을 끝까지 포기하지 않고, 최선을 다해 완성합니다.

그리고 그것은 나에게 더 나은 사람이 되기 위한 중요한 가르침이었습니다.

엄마의 찻잎을 띄우는 모습은 나에게 많은 것을 가르쳐 주었습니다.

그것은 인내와 성실함, 그리고 평온한 마음가짐을 의미했습니다.

그녀의 찻잎을 띄우는 솜씨는 나에게 항상 영감을 주었고,

그것은 나의 삶에 소리없는 가르침을 안겨주었습니다 .

엄마의 찻잎에 대한 애정은 나에게 엄마의 사랑과 지지를 느끼게 해 줍니다.

엄마는 찻잎을 띄우며 엄마의 정성과 진심을 함께 띄웁니다.

찻잎을 대하는 그녀의 마음에서 세상을 대하는 그녀의 자비심을 느낍니다.

그리고 늘 때가 되면 찾아오는 봄처럼

엄마는 늘 나에게 찾아 올듯합니다

찻잎 띄우던 그 모습 그 대로.

너의 마음이
안녕하길

내 사랑하는 딸, 안녕하실까?

지금 아마도 너는 너의 삶의 새로운 여정이 시작되었을거야.

15살, 사춘기의 동산에 서 있는 너를 생각하면 마음이 뭉클하단다.

네가 성장하고 변화하는 모습을 지켜보는 것은

나에게 큰 기쁨이고 큰 감사이고 큰 선물이란다.

나는 너에게 여러 가지를 바라지 않는다.

오직 네가 행복하고 건강하길 바랄뿐이야.

사춘기는 때로는 어려운 시기일 수 있수도 있겠지만

그 안에는 새로운 경험과 배움이 숨어있단다.

때로는 너의 인생에 크나큰 힘이 되는 밑거름이 되기도 할거야.

어떤 어려움이 닥쳐도, 항상 자신을 믿고 앞으로 나아가길 바래.

그리고 , 너의 마음이 언제나 안녕하길 바란다.

내가 네 곁에서 항상 너를 지지하고 응원할 거야.

언제든 내게 손을 내밀어줘.

내가 항상 네 곁에 있다는 것을 잊지 말아주렴.

네가 어떤 모습으로 성장하든, 내 사랑은 변함없다는 거 잊지말야줘.

넌 내게 소중한 딸이며, 그리고 항상 그럴거야.

사랑하는 딸!

우리는 모두 서로를 위해 열심히 노력하고 있단다.

싸울때도 서운할 때도 섭섭할 때도 있지만 그것 또한 노력의 과정이겠지.

네가 걸어가야 할 길에 늘 함께 걸어가는 이가 있다는 것

혹시 보이지 않으면 잠시 뒤돌아봐 주렴.

열심히 뒤따라가는 엄마가 있을테니까.

너를 무한히 사랑하는 엄마가.

하늘만큼 땅만큼 우주만큼 사랑한다.

지금을 막지마 처럼
우리 없이 살지를

그녀는 시한부인 생애를 마주한 그저 그렇게 살아왔던 한 사람이였다.

의사들은 그녀에게 단지 몇 달의 시간밖에 남지 않았다고 말했다.

그러나 이 시한부를 받아들인 그녀는 그저 그렇게 살아온 사람같이 않게 당황하지 않았다. 오히려, 그녀는 마음속으로 이제는 용기를 내어 자신의 인생을 완전히 바꿔 보고자 생각한다.

그녀는 지금을 마지막으로 여기고, 후회 없는 삶을 살기로 결심했다.

그녀가 해야 할 일은 무엇인가?

그녀는 자신에게 이 질문을 던졌다.

그리고 자신의 꿈과 열정을 따르기로 결심했다.

첫째로, 그녀는 가족과의 관계를 다시 쌓기로 했다.

그녀는 오랫동안 가족들에게 충실했고, 그들에게 사랑과 시간을 충분히 주었지만 이미 완성된 영상의 한 부분이 마치 삭제된 듯 서둘러 그 자리를 다시 새롭게 만들어가야했다 .

그녀는 새롭게 그들에게 자신의 사랑을 표현하고, 마치 다시 새 삶을 얻은 듯 함께하는 소중한 순간을 만들기로 했다.

둘째로, 그녀는 자신의 꿈을 따르기로 했다.

그녀는 오랫동안 미루어 왔던 꿈들을 이루기 위해 조금의 망설임이나 머뭇거림없이 반사적으로 행동하기 시작했다.

그녀는 자신이 진정으로 사랑하는 일을 찾아 나섰고,

그것을 위해 최선을 다하기로 했다.

그녀의 시간이 적다는 것을 알면서도,

그녀는 자신의 꿈을 위해 오늘 주어진 삶에 충실하기로 했다.

셋째로, 그녀는 후회 없는 삶을 살기 위해 용기를 가져야 했다.

그녀는 두려움과 불안을 이겨내고, 자신의 꿈을 위한 모험에 나서기로 했다.

그녀는 과거의 실수나 실패에 집착하지 않고,
당장의 순간을 최대한 즐기기로 했다.
그녀는 자신의 삶을 마지막으로 여기고,
그녀에게 주어진 짧은 시간을 후회 없이 살아가기로 했다.

이제는 그녀가 행동할 때가 되었다.
그녀는 지금을 마지막으로 여기고, 후회 없는 삶을 살기로 결심한 것이
다.
그녀의 시간은 적지만,
그녀의 용기와 결의는 더 이상 두려움에 매여 있지 않다.
그녀는 자신의 삶을 새로운 시작으로 여기고,
매 순간을 최대한 즐기며 살아가기로 한다.

' 우리는 누구나 시한부 인생을 살고 있다.
  단지, 의사에게 듣지 않았을 뿐이다.'

우리 둘은 어느덧
한 폭의 그림이
된다.

23. 10. 31.

우리 둘은 어느덧 한폭의 그림이 된다

우리 둘은 마치 한 폭의 그림이 되어
서로를 보며 물결처럼 흘러간다.

네 눈은 바다처럼 푸르름을 간직하고,
내 마음은 태양처럼 따뜻함을 안겨준다.

우리의 모습은 하늘과 땅이 만나는 곳처럼
아름다운 조화를 이루고 있다.

네 손은 나의 손을 잡고 함께 걷는 길을
환하게 비춰준다.

우리 둘의 이야기는
감각적인 색채와 묘한 그림자가 어우러진다.
한 폭의 그림 속에서
우리는 영원한 사랑의 풍경을 만들어간다

어제
우리가
함께
사랑했던
자리에
오늘 겨울비가
내립니다

2023. 11. 28

어제 우리가 함께 사랑했던 자리에
오늘 겨울비가 내립니다

– 비 내리는 날, 어제 우리가 함께 있었던 그 자리를 회상하며 –

창문 유리에 가벼운 비가 살랑살랑 소리를 내며 떨어지는 것이 느껴집니다.
그때 그 자리에서 우리가 함께한 순간들이 따뜻함 속에 떠오릅니다.
그러나 오늘, 겨울 비가 쏟아지면서
우리 사이에 스며든 차가움과 닮은 듯합니다.
우리는 한때 서로 뗄 수 없는 사랑으로 묶여 있었죠.
그러나 어느 순간, 삶의 도전의 폭풍 속에서 서로를 잃어갔습니다.
우리 집에 가득했던 웃음은 긴장감 넘치는 침묵으로 대체되었고,
서로의 포옹의 따스함은 이제 멀게 느껴집니다.
비 내리는 날은
이 무거운 결혼 생활에서 우리가 쏟아낸 눈물과 겪은 고통을 생각하게 하네요.
폭풍 속에서 길을 잃기는 쉽죠.
우리의 목소리가 천둥소리에 묻히고, 번개가 우리 사이에 있었던 아름다움을
잊게 하네요.
그러나 이 폭우 속에서는 반성과 재생의 기회가 숨어있었어요.
비가 내릴 때,
우리의 불화의 이유를 곰곰이 생각해 봅니다.
아마도 우리가 오랫동안 견뎌온 말하지 않은 말과 해결되지 않은 갈등의 무게가
우리를 가로막고 있는 거겠죠.
아니면 서로에 대한 취약성의 두려움, 서로의 마음을 열고 진정으로
연결하는 것에 대한 마음이 꺼려지는 걸까요.

그러나 우리가 멀리 떨어져 있는 상황에서도 나는 우리를 믿습니다.

사랑의 힘으로 심장이 가득차 있을 때에도 가장 맹렬한 폭풍을

견디는 능력을 믿습니다.

비가 계속 내리는 동안 우리는 아직 서로를 찾을 수 있다는 것을 깨닫게 되겠죠.

소통으로 시작해서 서로의 관점을 듣고 이해할 준비가 필요해요.

우리의 감정의 거친 물결을 헤쳐 나가는 동안 인내와 용서가 필요해요.

그리고 무엇보다도 용기가 필요하겠죠.

과거를 직시하고, 지나간 것을 놓고,

함께 밝은 미래의 가능성을 받아들이는 용기가 필요해요.

그래서 우리는 비로 인해 실망하지 않을 거예요.

이 시간을 우리에게 진정으로 중요한 것에 대해 반성하고,

한때 우리 사이에 빛났던 사랑의 불꽃을 다시 불러내 활용할 수 있을지도 몰라요.

그리고 함께, 손을 잡고, 우리는 폭풍 속을 함께 걸어 나가며 더 강하고,

더 현명하며,

그 어느 때보다도 더 깊이 연결된 채로 나타날 지도 모르죠.

결국, 우리를 정의하는 것은 비가 아니라 비 속에서 춤추는 방식이니까요.

그리고 나는 빗줄기 마다,

우리의 모든 일로부터 나타나는 폭풍을 통해 함께 춤추기를 선택합니다.

폭풍이 쏟아지면 지는대로 우리의 춤은 더욱 화려해 질거예요.

이젠 빗줄기 마다 떨어진 땅 위에 무엇이 피고 질지 기다려집니다.

우리의 믿음과 사랑은 땅 속 깊이 뿌리내리고

그렇게 우리는 다시 피어납니다.

내일 지금
그대에게
전화를 걸어
커피를 마시자고
할 생각입니다
24. 3. 19

니앞 지금 그대에게

얼마나 오랫동안 만나지 않았을까요?

우리가 함께 떠났던 그 시절로눈앞에 그대들의 모습이 스쳐갑니다

그때의 웃음소리가 들려옵니다.

어색한 친구들이었던 우리하지만 그 어색함 속에도

우리는 서로를 이해하고 있었죠

옛친구여, 어디에 있나요?

세월이 흘러도 변하지 않는 우리들의 추억 속에서

그대들은 언제나 내 곁에 있습니다

그때의 이야기를 되새겨보면

우리가 함께한 모든 순간들이 소중하고 아름다웠음을 알게 됩니다

언젠가 다시 만날 그 날까지

그대를 기억하며

옛친구여,

건강하고 행복하기를 바랍니다.

늘 고맙고

늘 고마운

나의 친구들에게

사람이 존재하는 이유

사람은 밥을 먹고사는
존재가 아니라
꿈을 먹고 사는 존재 입니다
꿈을 이뤄갈 때 비로소
삶의 가치를 알게 됩니다

2장. 마음과 나

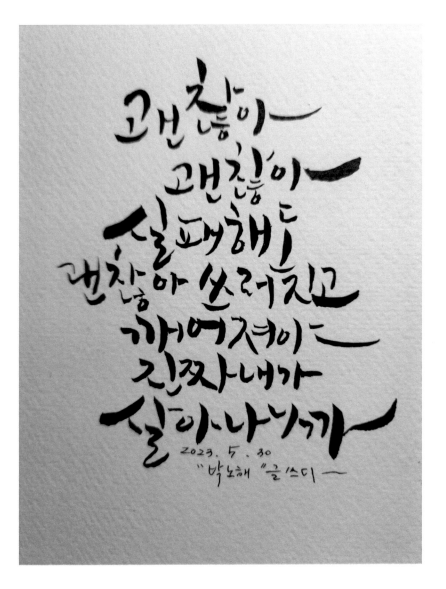

'괜찮다'는 세 글자 속에 인내와 희망, 그리고 용기가 담겨있다.
때로는 무엇이든 극복할 수 있는 힘을 주는 한 마디일지도 모르니,
우리는 항상 그것을 믿어야 한다.

괜찮아 괜찮아 실패해도 괜찮아

실패는 누구에게나 다가올 수 있는 일이다.

그러나 우리는 실패를 통해서
자신의 한계를 시험하고,
더 나은 버전의 자신을 발견할 수 있다.
그래서 괜찮다. 실패해도, 괜찮다.
우리는 종종 실패를 두려워한다.

실패는 우리에게 부끄럼과 자책감을 안겨주며,
때로는 우리의 자신감을 훼손시킨다.
그러나 실패는 단순히 성취하지 못한
목표가 아니다.
실패는 성장의 기회이며,
우리가 다시 일어서고
더 강해지게 하는 도구다.

실패에서 배울 수 있는 것은 무궁무진하다.
그것은 우리가 약점을 극복하고,
더 나은 방향을 찾을 수 있는 기회다.
그리고 무엇보다도,
실패는 우리에게
겸손과, 공감과, 의지의 중요성을 가르쳐 준다.
성공을 위해 필요한 특성들이다.
실패는 우리를 실망시키는 것이 아니다

오히려 그것은 우리가 더 강하고
지혜롭게 성장할 수 있는 길임을 상기시켜준다.

우리는 우리 자신에게
너무 엄격하지 않아도 된다.

실패는 우리가 살아가는 과정의 일부이며,
우리가 성공을 향해 나아가는 길에 있는 증거이다.

그러니 괜찮다. 실패해도, 괜찮다.

자신을 믿고,
앞으로 나아가는데 자신감을 가지자.
실패는 우리의 삶의 한 부분일 뿐이다.
우리는 계속해서 노력하고 성장할 수 있다.

우리는 강하고,
우리는 우리의 꿈을 이룰 수 있다.
그러니 함께 실패를 받아들이고,
그것에서 더 나은 버전의 우리를 찾아내자.
우리 모두가 성장과 성공을 위해
함께 나아갈 수 있기를 바란다.

오늘도 화이팅 ~!!!

나를 위해 웃는 사람 덕분에 나도 행복을 배운다

2 0222. 11. 9.

'웃음은 마음의 창문이다.
어떤 난관이든 뚫고 나갈 수 있는 그 유일한 열쇠일지도 모른다.'
- 비디 라바넨

나로인해 웃는 사람 덕분에 나도 행복을 배운다

웃음은 우리 삶에서 가장 아름다운 선물 중 하나다.
그것은 우리를 기쁨과 행복으로 가득 채우며,
우리의 마음을 따뜻하게 만들어 준다.
웃음은 우리가 어려운 시간을 이겨내고,
삶의 어려움을 극복하는 데 도움을 주는
강력한힘이 될 수 있다.

우리는 종종 일상적인 고민과 스트레스에 휩쓸려
우울해지거나 불안해진다.
그러나 그럴 때 웃음이라는
간단한 행위가 우리에게 큰 위안을 줄 수 있다.

웃음은 우리를 긍정적인 에너지로 가득 채우고,
우리의 마음을 경각심과 두려움에서 해방시켜준다.

웃음은 또한 우리와 다른 사람들 간의 유대감을 형성하는 데도
중요한 역할을 한다.

우리가 함께 웃음을 공유할 때,
우리는 서로를 이해하고 공감할 수 있는 연결고리를 형성한다.

웃음은 우리 사회를 더욱 화합되고 따뜻한 곳으로 만들어 준다.
또한, 웃음은 우리 건강에도 긍정적인 영향을 미친다.

과학적 연구에 따르면
웃음은 스트레스 호르몬을 줄이고 면역력을 향상시키며,
우리의 심신을 강화시키는 데 도움을 준다.

그 결과,
웃음은 우리가 더 건강하고
행복한 삶을 살 수 있도록 돕는다.

하지만 가장 중요한 것은
웃음이 우리 삶에
더 많은 즐거움과 의미를 부여한다는 것이다.

웃음은 우리가 삶의 작은 기쁨들을 발견하고,
그 순간을 최대한 즐길 수 있도록 도와준다.

그것은 우리가 삶의 모험에 참여하고,
새로운 경험을 만들어 나가는 데
용기를 주는 원동력이 된다.

그러므로 우리는
웃음을 삶의 중요한 부분으로 받아들여야 한다.
우리의 어려움과 스트레스를 이겨내기 위해
웃음을 활용하고,
우리의 주변 사람들과 웃음을 공유함으로써
더 많은 행복을 찾을 수 있다.

웃음은 우리의 삶을 더욱 밝고 의미 있는 것으로 만들어 준다.

그러니 자신의 마음을 웃음으로 가득 채워보자.

그리고 웃음이 가져다 주는 행복을 경험해보자.

웃는 얼굴에 복이 온다는 말은 그저 그렇게 전해 온말은 아닌 듯 하다.

웃는 얼굴에 침못뱉는다는 말도 우리는 쉽게 우리 일상에서 경험할 수 있다.

어린 아이들 조차도 이 진리를 아는지 잘못을 했을 때 본능적으로 웃음으로

그 잘못을 감추려고 노력한다.

살아남기위한 지혜로운 방법을 어린아이도 터득하는 듯하다.

어쩌면 살아 남기위한 생존의 방식일지도 모르겠다.

우리는 웃음을 살아가는 무기로 삼아야 한다.

이것저것 따지며 자를 재듯 옳고 그른 것을 골라내야

무슨 일이든 해결될 것만 같이 저마다 배운 방식대로 문제를 해결하려한다.

서로의 웃는 얼굴 속에서 우리는 간단히 해결할 일들이 많을텐데 말이다.

웃음은 서로를 깔보는 것이 아니라

서로를 배려하고 이해하는 크나큰 마음이 담겨있는 무언의 지혜이다.

웃음을 가벼히 여기지 말고 조금 더 신중히 생각해봐야 한다.

웃음이 가진 힘에 대해서 논문을 쓰듯 진지하게 연구해봐도 좋다.

오늘 한번 그냥 웃어 보자.

처음 본 외국인이 눈이 마주치자마자 웃음을 나눠주는 것이 자연스러운 것처럼

우리도 건널목에 함께 서있는 이들에게 웃음을 주고 받으며

안녕하세요 라고 말해보자.

그런 문화가 싹튼다면 지금의 사회에 어떤 변화가 생길까 상상해보자.

이유없이 웃는 사람을 보아도 저 사람 미쳤나 하지 말자.

진심으로 가벼히 웃음으로 인사할수 있는 멋진 사회이길 바란다.

"세월은 우리의 삶을 채우는 재화이자 선물이다.
그것을 어떻게 사용하느냐에 따라 우리의 가치가 결정된다.'

까닭없이 마음이 외로울때 애처로운 그리움

외로움과 그리움은
깊이 자리잡은 감정으로,
우리의 삶에서 떼려야 뗄 수 없는 존재입니다.
외로움은
우리가 혼자서 느끼는 고독함이며,
그리움은
우리가 잃어버린 것에 대한 그리움입니다.
그러나 이 두 감정은 종종 우리에게 의미 있는 교훈을 전달하며,
우리의 성장과 이해를 촉진시킵니다.
외로움은
우리가 주변에 사람이 없을 때 느끼는 감정입니다.
그것은 때로는 사람들이 많은 곳에서도 느낄 수 있으며,
외로움의 깊이는 우리의 내면 상태와 관련이 있습니다.
외로움은
우리가 연결되어야 할 필요성을 상기시키고,
우리가 다른 사람들과의 관계를
강화하는 것을 촉진합니다.
그것은 우리가 자신의 감정을 이해하고,
다른 사람들과 소통하며, 서로를 돕고 지지하는 방법을 배우게 합니다.
그리움은
우리가 잃어버린 것을
그리워하는 감정입니다.
이것은 종종 과거의 경험, 친구나 가족과의 이별,
또는 우리가 원하는 것을 얻지 못한 것에 대한 그리움일 수 있습니다.

그러나 그리움은
또한 우리가 무엇을 소중히 여기고,
그것이 없어졌을 때 얼마나 많이 그리울 수 있는지를 알려줍니다.
이는 우리에게 감사함과 인내심을 배우게 하고,
현재의 순간을 더욱 소중히 여기게 합니다.

외로움과 그리움은
우리의 삶에서 피할 수 없는 감정입니다.
그러나 이러한 감정은 우리가
자신과 다른 사람들을 이해하고, 성장하며,
삶을 더욱 의미 있게 만들 수 있는 기회를 만들어 주는 든 합니다.

외로움은
우리에게 연결과 소통의 중요성을 상기시키고,

그리움은
우리에게 감사함과 인내심을 가르쳐 줍니다.
우리는 이러한 감정을 거부하지 않고,
오히려 우리의 삶에 수용하여
이를 통해 더욱 성장하고 발전할 수 있습니다.

그래서 외로움과 그리움을
우리 삶의 일부로 받아들이고,
우리의 삶을 더욱 풍요롭고 의미 있게
만들어 나가는 것이 중요합니다.

외로움과 그리움을
가만히 들여다 보며
나를 찾아봅시다.

내가 무엇 때문에 외로울까?
내가 무엇을 그리워하고,
누구를 그리워하는지?

그리고 왜 그리워하는지도.
그렇게 잊쳐진 나를 만나봅시다

꽃 피는 날들이 좋다면
그대
겨울 나무처럼
인내의 시간을
가지리라

2024. 3. 15
막노혀 글쓴다

'인내심은 곧 천사들의 장난입니다.
그런데 그들이 제게 너무 많은 장난을 치다보니,
이제는 천국까지 기다리게 만들어 버렸어요!'

꽃피는 날들이 좋다면 그대 겨울나무처럼
시간은 우리 삶 속에서 끊임없이 흘러갑니다.

때로는 빠르게, 때로는 천천히,
그리고 때로는 우리가 인내할 수 없을 만큼 느리게요.
이 시간이란 어떻게 보면 우리의 삶을 지배하는 요소 중
하나일지도 모르겠습니다.
그리고 그 시간을 기다리는 것,
그것이 바로 '인내'라는 것일 것입니다.
인내는 우리가 삶의 여러 상황에서 마주하는 어려움을
이겨내는 데 중요한 역할을 합니다.
우리는 종종 우리가 원하는 것을 즉시 얻지 못할 때,
그것을 얻기 위해 기다려야 하는 상황에 처합니다.
이때 우리의 인내심이 시험을 받게 되는데,
이것이 우리가 우리의 목표를 이루는 데 얼마나 중요한지를 결정합니다.
인내의 시간은 때로는 우리에게 교훈을 줍니다.
우리는 기다림을 통해 더 나은 방법을 찾고,
우리의 목표에 도달하기 위해 노력하며,
어떤 것이 진정으로 중요한지를 깨닫게 됩니다.
이러한 과정에서 우리는 성장하고 발전하며,
우리의 인내심은 우리가 더 강하고 지혜롭게 만들어 줍니다.
하지만 때로는 인내하는 것이 어려울 수 있습니다.
우리는 즉각적인 만족을 원하고,
시간이 지남에 따라 우리의 인내심이 시험을 받을 때
우리는 좌절하고 포기할 수 있습니다.

그러나 우리는 이러한 어려움을 이겨내고,

우리의 목표를 위해 노력하며,

우리의 인내심을 강화하는 방법을 찾아야 합니다.

인내의 시간은 우리의 삶에서 불가피한 부분입니다.

그리고 이것은 우리가 우리의 목표를 이루는 데 필요한 중요한 도구입니다.

그러므로 우리는 우리의 인내심을 키우고, 어떤 어려움에도 굴하지 않고

우리의 꿈을 향해 나아가야 합니다.

인내의 시간은 우리가 더 나은 사람이 되고,

더 나은 세상을 만들어 나갈 수 있는 기회를 제공합니다.

작심삼일이라도 삼일만 인내하면

꼭 얻은 것이 있습니다

하루를 인내하고 또 하루를 인내하면

무엇인가 우리에게 생겨있습니다.

인내 속에서 보물을 찾고

나의 길을 걸어갑니다.

.

진정한아으
1많이전의
집무에서
그윽이돈다.
24. 4. 9

'언제나 깨달음은 '오호라!'가 아니라 '아하!'로 시작합니다.
그리고 종종 '어떻게 이걸 이제야 알게 되었지?'로 끝납니다!'

진정한 앎은 침묵에서

깨달음은 때로는 뜻밖의 순간에 찾아옵니다. 그리고 그것을 깨닫게 되면
우리는 자신이 그동안 무엇을 놓쳤는지를 깨닫게 됩니다.
진정한 앎이란 무엇일까요?
우리는 종종 지식을 가지고 있다고 착각합니다.
그러나 지식의 표면 아래에 숨겨진 깊은 이해와 통찰력이 있는지를
생각해보기는 쉽지 않습니다.
진정한 앎은 지식의 깊이를 찾아내고,
그것을 바탕으로 삶을 이해하고 풍요롭게 만드는 것입니다.
진정한 앎은 단순히 정보를 수집하는 것 이상입니다.
그것은 주어진 주제나 분야에 대한 깊은 이해와 통찰력을 의미합니다.
이것은 단순히 외부의 지식을 소화하는 것이 아니라,
그것을 내면화하고 자신의 생각과 경험과 결합시키는 것입니다.
진정한 앎은 지식의 표면 아래에 숨겨진 진실을 발견하는 것과 같습니다.
진정한 앎은 시간과 노력이 필요합니다.
그것은 즉각적인 만족을 주는 것이 아니며, 종종 어려움과 고통을 수반합니다.
그러나 그것이 우리에게 가져다 주는 보상은 더 크고 깊습니다.
진정한 앎은 우리가 성장하고 발전하며, 우리의 삶을 보다 의미 있게
만들어 줍니다.
진정한 앎은 또한 겸손와 연관이 있습니다.
우리는 항상 무엇인가를 배울 준비가 되어 있어야 합니다.
우리는 우리의 한계를 인정하고,
다른 사람들의 지식과 경험을 존중해야 합니다.
그리고 우리는 우리의 지식이 얼마나 부족한지를 항상 인식해야 합니다.

진정한 앎은 다른 사람들과 공유되어야 합니다.

우리는 우리가 배운 것을 다른 사람들과 나누고,

그것을 통해 세상을 더 나은 곳으로 만들 수 있습니다.

진정한 앎은 우리가 함께 성장하고 발전할 수 있는 기회를 제공합니다.

진정한 앎은 우리의 삶을 풍요롭게 만들어 주는 보물입니다.

그것은 우리의 지식과 경험을 풍부하게 하고,

우리가 세상을 더 깊이 이해할 수 있도록 도와줍니다.

그러므로 우리는 항상 진정한 앎을 추구하고,

그것을 통해 우리의 삶을 더욱 풍요롭게 만들어 나가야 합니다.

진정한 앎은 소리없는 깨달음입니다.

보았다고 본 것이 아니고

알았다고 해서 안는 것이 아니고

들었다고 들은 것이 아닙니다.

진정한 앎은 찰나 속 침묵에서 불쑥 튀어나옵니다.

환희와 기쁨의 단이슬로

100년의 어리석음을 깨칩니다.

진정한 앎은

인간만이 누리는 특권입니다.

인간이 인간으로 태어나는 이유입니다.

'그리움은 마음의 언어이자 사랑의 빈자리를 채우는 향수이다.
우리가 그리워하는 것은 결국 우리가 사랑하는 것들이다.'

보고 있을 때도 보고 싶어질 때도

아름다운 풍경이 펼쳐진작은 마을이 있습니다.
그 곳은 내가 가장 그리워하는 그리고 가장 보고 싶은 곳입니다.
그 마을은 작고 조용하지만 따뜻한 사람들이 가득합니다
그리고 소나무 숲과 그 아래서
나무를 올려다 보며 꿈꾸는 소녀도 있습니다.
그들의 웃음소리와 꿈들은 내 마음을 언제나 따스하게
만들어줍니다
매일 밤 내 창문 밖으로 그 마을의 조용한 풍경을 상상합니다
달빛이 마을을 비추는 그 순간
나는 그곳에 가고 싶어 그리움에 맘이 에입니다.
그 마을은 나의 고향이지만 내가 그곳을 떠난 후로도
언제나 내 마음 깊은 곳 그 마을은 그대로입니다.

지금은 흔적조차 없지만 코스모스 살랑이던 흙길도
시궁창 또랑 위에 멋지게 늘어졌던 수양버들가지도
멀리서 촘촘히 자리잡은 죽은이들의 보금자리도
그리고 절반은 무너져내린 웅덩이에 토끼굴이라며 이름붙였던
소꿉장난하던 내 어릴적 첫 집도
낙독강 하류에 층층이 쌓였던 똥늪도
나의 작은 마을의 그저 아름다운 풍경들입니다.
지금은 사라지고 없지만 나의 기억 속에
늘 아름답게 그렇게 남아있습니다.

오늘이라고 쓰고
행복이라고 읽는다.

24. 4. 9

'어제는 역사, 내일은 미스테리, 오늘은 선물이다.'

- 에러먼드 특서

오늘이라고 쓰고 행복이라고 읽는다

행복이란, 커피 한 잔과 같아요.

어쩌면 산미가 강하고 쓰다고 느끼는 순간도 있겠지만,

마시면 마실수록 그 씁쓸함이 달콤한 만족감으로 변해요.

그래서 커피를 마시면서 행복을 찾는 거죠!

행복은 우리가 매일 마주하는 작은 순간들 속에 자리하고 있어요.

때로는 우리가 그것을 간과하거나 너무 당연하게 여기기도 하지만,

그것은 우리 삶을 빛나게 하는 보물이지요.

행복은 어디서나 찾아볼 수 있어요.

그것은 무엇을 할 때나 어디에 있든,

우리가 마주하는 모든 것들에서 느낄 수 있어요.

행복은 아침에 창문을 열고 햇살을 느끼는 것에서부터 시작되어요.

그것은 새로운 하루를 맞이하고,

새로운 가능성을 기대하는 것에서 시작하지요.

행복은 우리가 사랑하는 사람들과 함께 있는 것에서 찾아와요.

그것은 가족과 친구들과 함께 웃음 지어 나누는 소중한 순간에 있지요.

행복은 작은 것들에서부터 시작되어요.

그것은 꽃 한 송이에 마음을 빼앗길 때,

좋은 음악을 듣고 싶을 때,

혹은 맛있는 음식을 먹을 때 느끼는 만족감일지도 몰라요.

행복은 우리가 일상 속에서 경험하는 모든 것들이예요.

그것은 우리가 느끼는 감사와 만족감일지도 몰라요.

하지만 종종 우리가 그것을 놓치기도 해요.

우리는 종종 과거에 대해 후회하거나 미래를 걱정하며 현재를 놓치곤 하죠.

그러나 우리가 현재에 집중하고,

주변의 아름다움과 기쁨을 인식한다면, 우리는 행복을 발견할 수 있어요.

그것은 우리가 삶의 순간들을 깊이 살아가는 것에 달려 있지요.

그래서 오늘,

우리에게 찾아온 행복을 찾아보아요.

작은 것들에 주목하고, 주변의 아름다움을 감상해요.

가족과 친구들과 함께 웃음 지어 나누는 소중한 순간을 만들고,

모든 것에 감사하며, 현재의 순간을 깊이 살아요.

오늘의 행복은 우리가 그것을 발견하고 경험하는 방식에 달려 있어요.

우리는 행복을 즐기고, 삶의 아름다움을 깨달아야합니다.

우리와 늘 함께하는 행복

우리가 먼저 알아봐주고 인사나눠요.

그리고 한 손에 행복을 꼭 잡고 그렇게 살아가요.

행복이는 항상 당신 옆에 있어요.

꼭 찾아서 꼭 데리고 다니세요.

어제와 똑같이 살면서
다른 미래를 기대하는 것은
정신병 초기 증세다

아인슈타인박사

책을 마무리하며......

책을 쓰고싶다는 막연한 마음 한줌에서
이렇게 책을 마무리 하는 순간을 마주할 때까
지 지금까지 누려보지 못했던 기다림과 설레임으로 한달을 보낸 듯 합니다.
여행을 좋아하고, 사람을 좋아하고, 시를 좋아하고, 음악을 좋아하고, 자연을 좋아하고,
아이들을 좋아하고, 배우는 것을 좋아하고, 새로운 것을 좋아하고,
나를 탐구 하고, 나를사랑하고, 남을 생각 할줄 알고, 남을 아낄줄 알고,
동물을 사랑하고, 생명을 존중 할 줄아는
삶을 향유하는 한량이고 싶은 내가 책을 쓰는 즐거움까지 알았으니
천군만마를 얻은 듯 삶의 즐거움이 천배 만배가 되었습니다.

보잘것없고 툴고 어설픈 시작이지만 책을 마무리 할 수 있었던 일은
크고도 장대하며 나 스스로에게 찬사를 해주고 싶은 내 역사에 남을 거사입니다.
이렇게 큰 기회를 만들어주신 모든 이들께 감사의 인사 꼭 전하고 싶습니다.

책출간을 할 수 있게 차근차근 안내해주신
퍼스트클러스 대표 문지현님께과 글쓰는 소은 작가님께 감사드립니다.

켈리그라피 작품을 만들 수 있게 지도해주신
태은켈리그라피 곽보화선생님께 감사드립니다.
제가 책을 쓸수 있는 인사이트를 만들어주신
나의 가족, 나의 친구, 그리고 나의 부모님께 감사드립니다.

앞으로도 계속 책 쓰는 인생을 향유할수 있는 나를 만들어 가겠습니다

꿈꾸는 작가   한상형